劉福春・李怡 主編

民國文學珍稀文獻集成

第三輯

新詩舊集影印叢編　第119冊

【臧克家卷】

民主的海洋

重慶：世界編譯所 1945 年 6 月初版

臧克家　著

寶貝兒

上海：萬葉書店 1946 年 5 月初版

臧克家 著

花木蘭文化事業有限公司

國家圖書館出版品預行編目資料

民主的海洋／寶貝兒／臧克家　著 — 初版 — 新北市：花木蘭文化事業有限公司，2021〔民 110〕

88 面／68 面；19 ×26 公分

（民國文學珍稀文獻集成・第三輯・新詩舊集影印叢編　第 119 冊）

ISBN 978-986-518-473-5（套書精裝）

831.8　　10010193

ISBN-978-986-518-473-5

9 789865 184735

民國文學珍稀文獻集成・第三輯・新詩舊集影印叢編（86-120 冊）

第 119 冊

民主的海洋
寶貝兒

著　　者　臧克家
主　　編　劉福春、李怡
企　　劃　四川大學中國詩歌研究院
　　　　　四川大學大文學學派
總 編 輯　杜潔祥
副總編輯　楊嘉樂
編　　輯　許郁翎、張雅淋、潘玟靜　美術編輯　陳逸婷
出　　版　花木蘭文化事業有限公司
社　　長　高小娟
聯絡地址　235 新北市中和區中安街七二號十三樓
　　　　　電話：02-2923-1455／傳眞：02-2923-1452
網　　址　http://www.huamulan.tw 信箱 service@huamulans.com
印　　刷　普羅文化出版廣告事業
初　　版　2021 年 8 月
定　　價　第三輯 86-120 冊（精裝）新台幣 88,000 元

民主的海洋

臧克家 著

世界編譯所（重慶）一九四五年六月初版。原書三十二開。

民主的海洋
臧克家
世界編譯所

臧克家

民主的海洋

世界編譯所印行

民主的海洋

臧克家

中華民國三十四年六月渝一版

基本定價：二元

發行者　世界編譯所
上海國開森路三九三號
重慶中一路四德村第十六號

發行人　楊韻孫

經售處　各省市各大書店

重慶市圖書審查處審查訖

青島文學創作叢書序

青島是一個希望之鳥，它代表和平，自由，解放，和光明。

青島是一個眞實的希望，並不是浪漫之夢。我們必須以眞實的努力，用[illegible]和平，自由、解放、和光明的創作，我們要堅強地，不斷地同心協力地，向前邁進，去接近它，而獲取它；我們絕不空自遙望着遠處，等待着青島何日從天而降。

所以，凡是趨從這個眞理，具有這個希望，寧肯在往日的歲月裏投奔，用自己的創作，當作石子，去鋪平通往青島之路的，都是我們所有的合作者，我們都願意他們把那一塊一塊的石子，一排一排地擺到齊整，一列一列地鋪在那兒。

我們只要這做向青島之路的創造者們効勞的石子。

焦菊隱　三十四年四月

小序

把年來發表的一部分詩，集成了這個小小的集子，數量很少，質量也不夠重。這裏面，除了「獻馬上前綫」一篇，全是抒情詩。在時代的動盪中，人們的心也起伏不平，對着眼前的現實，不能視若無睹，你就不能不有動於中。這些抒情詩，雖然同是抒發個人眞實的感情的，但意義却不同。有一些是屬於個人的，別人不一定有同感，所以也就不一定能起共鳴，例如「當記憶在它頭上飛翔」，「廢園」，「失眠」，「心是近的」等等。在我自己方面說，它們是產生於親切的感覺，但這樣的感覺，別人也許不會有，因爲生活，經驗，各人有各人的式樣。我立在江邊的一個小土丘上，在夕陽西下的時候，望着江上的帆船，帶着暮色從天際飛來，又急急的向下流駛去。我一直看了一年，心裏想着它們意義，這不像人生從時間的大浪裏尋求着歸宿嗎？我想了一年，想出了下面的句子：

立在岸上，看江潮

從天邊送下船帆，

又急急的駛下去，

他們必須找到自己的歸宿，

搶在黑夜的頭前。

不加解釋，別人不一定能體味到它的涵義。當我對一位朋說「廢園」是象徵「中國」的，無怪乎大叫一聲「唉!?」了。

另外有幾篇，雖是屬於我個人的，同時也屬於大衆的。類如「朋友和信」。這些詩，感情從我心中出發，立卽通到每個人的心裏去，引起同樣的感情。特別是第一篇，發表在敵騎踏入黔邊，重慶爲之動盪的時候，這詩裏所感覺的，所說出的，是我的也是大家的。人活在世界上，一點也不孤單，心是尋找着心。當個人的心同多數人的心結在一起的時候，那，他這個人也就成爲羣衆裏邊的一個，他的感情的色調，也就不會是特殊的了。如果能夠這樣，那他所抒發的情感也就是大衆的情感，他的抒情詩也就成爲大衆的心聲了！

可是，這勉強不得。沒有那份眞實感，硬去做作，那是虛僞的，也就是醜的。詩人，必須忠實於生活，忠實於自己。但是個人的生活又必須插進大衆生活的海洋裏去，這樣，生活才寬廣，才深安。

我是忠實於自己的情感的，而又希望着這情感不僅是我個人自己的。這對自己是一個期許。

三十四年三月五日燈下於歌樂山中

目錄

擂鼓的詩人

——呈一多先生

呵，你擂鼓的詩人。
站在思想的前線上，
站在最緊要的關口上，
你擂鼓。
咚咚的，是鼓的聲音，
是心的聲音，是戰鬥的聲音，
越過山，越過海，
去扣每一扇心門，
瘋痺的，活動了，

人詩的讚揚

累餓的，振奮了，
險惡的，戰慄了，
失掉的，開始尋找他自己的心。

啊，你描成的詩人。
從沈睡了三十年的經典裡，
從幽暗的斗室裏，
帶着苦心培養的文化「血清」
你走出來——
當別人，
築了一個冥的
從幾千年的枯墳裏
搬出了「死人」，

民主的海洋

把他們臉上貼滿泥金；
當州人，
寫了一個月的
把萬年的綑綁撕
參參暇廿世紀五十年代
中國民族的靈魂。

啊，你擂鼓的詩人。
穿過了幽暗的路程，
經過了摸索掙扎的苦痛，
你走向了人民。
把大地做琴絃，
（你是那麼熱愛它！）

擂鼓的詩人

掛起一幅理想的遠景，
你倔強的，精神抖擻地
走向它，
一步比一步接近了羣衆，
你的人，也一步比一步高大。
我看見
莊嚴的神情；
我聽見
你心血的衝湧；
最後，我看你的頭
在幕布上有斗大，
一尺長的鬍鬚
在眼睛的星光中

民主的海洋

飄動。
最後，像從火山口裏
聽到爆炸的地心，
從你大張的口裏
我聽見了：「啊，祖國；啊，人民！」

三十三年八月二十四日早於渝歌樂山中。

心是近的

心是近的

歌樂山，青松和綠竹
掩蔽了我的房子，
跑過來，馳過去，
遊客把尾脊當馬騎。
山峯，天天相對着，
朋友一樣，一碰面，
點點頭，像有一句
什麼話要說。
早晨一睜眼，眼光
落在六點上，

它成了最標準的錶，
保管天天對，一分一秒也不許錯樣。
沙鷗，跳躍的步子
把快樂留在瓦葉上，
樹頭上棲不穩的喜鵲，喳喳的
叫出心裏的歡喜，
山頂的孤松，像青色的掃帚
去掃開雲霧，
我站在頂高處，
大揭開胸膛，歡呼着
迎接太陽。
露珠挑在松針上，
鳥兒叫在綠樹上，

[illegible]縣近的

農人開始走向稻田，
飛機嗡嗡的，像一個孩子，
滿懷着早晨的欣喜，
遊戲在天空的廣場，
傍晚，跑上山頭去追趕落日，
（看他，勞苦了一天，急急忙忙的
邁開大步，到山那邊去安息）
到了，只剩耀眼的彩霞
在西天上，向着稻田的秋水
炫耀自己美麗的影子。
看一個一個小山村，三家兩家，
傍一條水，依一座山，
每一家的屋頂上

民主的海洋

抽一捲柔弱的炊煙。
小徑上有歸來的人，
在暮色蒼茫裏移動，
彷彿來自另一個世界，
那裏的狗子汪汪幾聲，
鴨子結成隊，擺動着屁股，
從水田裏走回家，
雞子也進了它們的窩，
黃昏剛想一手把天地掩蓋個乾淨，
月亮又叫出，叫樹，叫人，
找到了自己的影。
小庭院裏，孩子們的聲浪
翻騰着快樂，天真，

心是近的

大人們在談論，話聲
低得像絲絃，忽然，提高了嗓子，
像向誰質問，像剝着一個人的頭皮，
向他怒罵，像吞了一個蠍子
發急的恨不得一口吐出他的心！
話頭像炸彈，
一出口就爆炸，
夜掩護着深山，
囂大做人的耳朵，
不怕有人闖過黑暗的門檻。
夜裏蹦在牀上，用舌頭
舐着生命的創傷，

那麼淸楚，明亮。

心總在捲到鬭爭的急流裏，

心是近的，不管身子寄托的山窩，

它有多麼偏僻。（注）

注：山居頗得淵明「心遠地自偏」一句之妙，今反用之，地雖偏而心不遠也。

三十三年九月三十日於德欽雞山中。

民主的海洋

它向每一個殺害慾望，
世界上，有什麼是不可能！
鐵鏈的日子，比什麼都有力的
扯了黑暗的面紗，
而刺戳被縛的良心
關懷着它的人，
自己也怕流露。

不用告訴我，陽光
把青山裝飾得多麼莊麗
把流水點綴得多麼服貼溫柔

民主的海洋

腐朽的柱子，孤立在蒼鬱裏
像一位頹廢詩人●
夜來，有鴟鴞
站在枯樹上笑，
有狐，有鼬，
在庭院裏漫遊，
有幾只蝙蝠
打着小燈籠，

春天，我尋遍這荒園，
我找不到綠園，在它身上
豎起的高樓對着笑，

晨

[illegible]

樹叢用銅鈴的喉嚨歌唱，
早晨的陽光，
貼在玻璃窗上，
[illegible]子花，
噴放出清冽的香，
綠色到處流動
像活潑的心情，
一羣小孩子，個個紅光滿面，
打滾又歡笑，
生命充溢了這早晨的庭院。

三十三年四月十三日燈下於渝歌樂山中。

當記憶在它頭上飛翔

——喻晉根

當我從這座石頭都城離開，
那便是暫時的離開，
不然那麼，有什麼可以擴開心懷？
叫我夠了汽車的黑臭屁，
去想那一條條大街，像狹窄的心胸，
私慾却偷想叫出聲來？
叫我去想那家館子
那一碟菜的味兒最好，
那一座百貨大商店

當記憶在頭上飛翔

錢盡拿，但誰敢介紹？
那就出頭，從影院，戲院門口，
爲了「色情」而請命質疑
像去搶「色情」本身，
叫我遐想，一些人從心裏放出鄉愁
去哄另一些人？
這一點，你放心，
你們不曾失掉了她們的存在，
和另一些離去的人。
當記憶的轉翅，僅僅在這都市頭上飛翔，
它毫不遲疑的降落，
降落在蒼茫征路那小小的土屋上，
多少個黃昏，我們在它上面

23

民主的海洋

像熱戀黃昏的色調
心情和季候給它調得多微妙。
我們伙一樹飄丹，
看夕陽把江山照得多莊嚴，
立在岸上，看江潮
從天海這下潮汛，從流過的腳下去，
我們必須找到自己的歸宿，
拾在黑夜的門前，
向「江北」的古城，在午面
鋪一個夢，
對岸的沙灘，
漁浪在上面來去蹤跡，

當記憶在頭上飛翔

江邊上，昨天我們打上的脚印
今天再去找，它已經被拭淨。
小路把我們領進那家小茶館，
雜在雜遝的人羣裏，
隱着別人，我們自己
也不再把心頭的懷戀拘禁。
從木格子窗戶望出去，
望着黃昏一步一步爬上
對岸山頭的碉堡，
歸來的路上，天上的星，
地上的燈，一個又一個，睜開了
黑夜的眼睛。

三十三年四月十四日早於渝歌樂山中。

陽光

太陽，終於和我們擁抱了，
赤裸裸的
用它光亮和溫暖的本體投入胸懷。

天空，明朗得
像一個最溫柔的性格，
碰上了最美麗的心情。

啊，這樣明麗，
這樣和諧，

光 昇

還讓一就，
不是點綴在眼前放金花，
還燦爛的景象像是個夢境，

掃不開的濃霧，飄斜的點，
不死不活的天色——
還繫沈心境的酵母，
一下子溶解，連記憶也不除外，

這樣的日子，
把生命當個偶然擲高了，
遙遠的希望，
一步步蠶蝕，

80

廢園

你這荒蕪的廢園，
是這都市身上死了的一片，
又像是從貧血靈魂的最深處
唱出來的頹廢的詩句。
你看，破軌碎瓦，到處去飄零，
把記憶住，
時間走遠了，留下腳跡，
每一條小徑都滑過去。
枯草像美人頭上的白髮，
個個的繡古，碎了的心，

陽光

樹枝上，動也不動一動，
喜鵲，今天換了一幅清脆的喉嚨；
這一些，我全看到了，
也全聽見了，雖然，
不是用耳朵，也不用眼睛。

工廠裏，機器的生命力，
今天格外強；
農人，把老棉襖脫在田崖上，
同老黃牛說着最柔和的話，
把一支歌給自己唱；
陽光，在大洋裏，在戰場上，
擦亮了戰士武器的鋒鋩，

洋海的去思

一回，又來到南邊的水邊，
照着春水，她們洗濯羽翼；
今天，陽光開放了萬物，
在暖和的風中裏
生命也禁不住地歸還故園。

在北方，冰雪漸漸消了，
遙遠地寒冷的殘冬
默死在地上，
今天，我第一次聽到了生命的微響。
從小蟲冬眠的洞穴裏，
從枯死的枝頭上……

靜默頌

人像，枯朽得像古墳上
千年的棺材板，
空氣把窒息病菌
帶給每一顆肝尖，
土地裂開口，狗子伸着舌頭，
樹葉都失了生命的綠色，
人，苦焦的心這就要自燃！
沉默着——
一個偉大的沉默，像火山；
等候着，痛苦的等候。

民主的海洋

全個兒宇宙的心
向着高攀，
這沉默，這希望，
是這樣神聖更莊嚴！

天，他包攬一切的心胸
被觸動。
黑雲衝破了囚禁的鎖鏈，
衝出了深邃的穴洞，
在背上馱起東海，
尾巴上捲着風暴，
搖頭擺尾的嘶叫着
飛上天空，

譯[illegible][illegible]

像泉湧吻，從五嶽，，從喜馬拉雅的高峯。
鵑鵑，天，把一點顏色
給人看，鏑鏈之鷹翱翔到高空，
去探訪天上的消息，想把一點象徵，
一個預言，指點給人間。
人，連上動物，植物，
石頭也跟着變，變得像一個信心跪倒在上帝臉前，
等待着，不[illegible][illegible]一句話，
把愛心也[illegible][illegible]給個議進。

來了——
風打[illegible]啊站。
它像迷人的女頭發出個信號，

民主的海洋

它把一個消息到處預言，
它的鐵手試驗着每一個生命，
看看它們到底經不經得起瘋狂的搖撼。
來了——
來的是閃電，
它把人的心窩揭開，
叫蟄伏在老底的東西
一個個把原形現出來；
它在黑暗的僵尸上，
吹，砍，砍一萬劍，
它的手臂永遠也不酸；
天窗被它闢開一條一條縫，
跟着掉下來了——

霹靂頌

轟隆，轟隆，轟隆，
向着這古老人間的堡壘
光明的巨手
投下了千萬噸炸彈！
霹靂碰着高山，它每條神經都嚇得抖戰；
霹靂擲下深谷，
千尺深埋的小蟲
也驚破了膽；
霹靂滾過屋瓦，
瓦片顫動的發響；
霹靂響到心窩；
把良心的顏色搽的晶亮
它震怒，它發威，它[illegible]，

民主的海洋

它向沉睡的生命呼喊
它是一句話，一個神的力量！
它是臨於陣行的大呼，
它是光明使者車輪碾過天空，
它用無不可當的威力
向人間奏出的不朽樂章、
聽，雨腳踏下來了。
像千萬匹馬，像戰隊上陣時的天兵，
在地上，在半空，
進行着一場熱烈的鬥爭，
勝利輸了光明，你看，暴雨給人間洗刷出個多麼光亮的天空

八月三十一日於峨樂山中。

禱

禱

每個清晨，聽你作早禱，
用商人報一篇流水賬的調子，
從這聲音裏聽不 出音樂，
聽不出信仰，
也聽不出詩，
我甚至聽不懂你念的句子，
就像你不懂它的意義。

每個黃昏，看你作晚禱，
跪在牀上，閉着眼，

30

雙手在胸前合成十字，
「上帝」如果像我一樣，
看到你心裏蟄居的罪惡，
我不知道，除了憤怒，
他將怎樣處罰！

三十三年四月十一日于歌樂山中。

朋友和信

天天盼到一批信，
從一個一個信筒裏，
拆出來
一個
一個
太喧鬧；
我的新聞
也抬起頭來，
展開信紙，
對着它——！

苦臉子
對苦臉子！
常常有朋友來
拿神氣作見面禮，
拳頭敲得
桌子發跳，
聲音要把屋頂衝倒，
怒氣
落過一陣暴雨
伸一伸舌頭，
眼，
朝四下瞧

朋友和信

插一圖

21

心和手

今天，我的胃口這麼壯，
簡直是晚餐桌上的一隻虎狼，
睡眠的小船，暢快的，
渡過了夜的黑海，
沒有擱在失眠的礁石上，
腦子，小孩子一般單純，
疲勞緊緊的把守着心門。
因爲，我勞動了一整個下午，
　太陽照耀在晴空，
大汗在我身上落雨。

心和手

我披散開頭髮
讓它接受四月的風涼，
我伸開慘白的胳膊，
叫陽光銹上一點健康。

我同農人一同攤在壠頭，
我學習着他們的姿勢，
土地給予我們收穫物，
也給予我們一身香氣。
我再不想
用灰白的思想專在心上耕耘，
那往往是歉收，得來的食糧
喂不飽自己，不必說別人。

36

民主的海洋

我再不想
做一個孤獨者，把自己
拴在書桌上；
我想做一個勝人，加入他們的隊伍，
你看我的心，連我的衣服都像。
我從心裏鄙視這種人：
用一張空嘴
吃別人用雙手織[illegible]的東西，
一直吃黑了良心！
我用我的心也用我的手
思想；
我用我的心也用我的手
同大[illegible]相[illegible]衆

交融。

三十三年五月二十七日于渝歌樂山中

失眠

一隻一隻生命的小船，
全部停泊在睡夢的港灣，
風從夜的海面上老死，
鼾聲的微波任恬靜的呼吸。

只有我的一隻還衝跌在黑的浪頭上，
暴風在帆布上鼓盪，
心，拋不下錨，
思想的繩索越放越長……

愛與死

一座莊麗的宅邸，
直挺挺站着那個崗
像一雙手偶然在猶疑
斷下的兩根木樁。
大門前，冷清清什麼也沒有。
由是青的，天滿藍；
大門前的地面上，有幾點血的殘跡，
祗讓着黃土，向人間訴說一個故事。
提上兩個鐘點，這大門前，
人群像海濤，人頭像山，

民主的海洋

提上兩個鐘頭，夜的黑幕
把一具死屍暴露在這大邸的門前。
這死屍，裸着體，六月天的暑氣
蒸毀了他原來的樣子，
通身是創口，一個創口開一朵紅花，
裂着嘴，咀着牙，像嘲笑，
又像要吐出一句什麼話。，
就讓狠毒的鞭子抽光了肉
就讓監牢刻出骨頭，
這些觀衆，這些鄰家，
也決會不認識他。
才幾日，他曾是一天多少趟出進這個大門，
他的主人，一位顯官，

死與愛

事務送他的年輕和懸戀。
他吃着公家飯，做着私人事，
他很少站辦公室，大部分時間
服務在這座私邸。
這私邸裏有一位婢女，
奴隸的命運，花的身子，
大太太駡她，二太太打牠，
老爺的眼睛盯得她更怕！
是青春就需要愛情，
愛情分不得富貴和貧窮；
人都愛她同命運的人。
一扣就給他打開心門。
這大邸的高牆攔不住她的青春，

42

民主的海洋

她的心像隻小鳥，找到了一個溫暖的巢，
他，這個僕人，吸收她的愛情，
像乾裂的土地吸收着水分。
愛的花開在神秘裏，它的芬芳，
只許那個人偷偷的呼吸，
可是，愛情到了成熟的日子，
熱情便替它洩露了消息
這位達官，像受了侮辱一般的
暴怒，
太太們，像第一次看見了罪惡那樣的生氣。
這個奴隸，他要的是愛情，
他主人給他們的皮鞭，

死與愛

是一座監獄；
這個奴隸，她要的是愛情，
她主人給她的是毒打，是辱罵，
是加了鎖的一口小房子。
她幾天得不到一口飯，
她感到飢渴的卻是愛情，
她一身傷痛，她卻不需要憐憫
眼裏也沒有淚，
她用一顆鐵心對着命運，
她在監牢裏，用愛情，
塗着致命的創痛，
人間的山水，權勢的籬笆，
沒有什麼擋得住它；

[illegible]

民主的海洋

他在監牢裏，用仇敵。
鼓勵自己的心，
人間沒有什麼能消解它，
除非死，死也解不開這個疙瘩。
他死了，死在監牢裏。
他死了，帶着青春，帶着愛和恨，
死在愛和恨者的心地裏。
他死了，把不平種在人心胸，
他死了，點燃起憤怒和同情，
他死了，藉了活着的奴隸們的手
走到這大邸的門前，
赤條條的用死後的屍體提出抗議！
這座大門，他生前出出進進

愛與死

帶着忠誠，帶着感激；
這座大門，他生前
帶着希望走

帶一個影子走出來，他留下了一顆心。
今天，最後一次來到這大門前，
像有什麼沒記清楚，
他的眼睛還沒闔攏。

看，人們一堆一簇，
替他打一堵圍牆，
這些人裏，有他的同事，他的朋友，
也有同他是陌生的；
他們有的在歎息，有的在不平，
有的在交頭接耳。

民主的海洋

這些人，他們在談論些什麼呢？
是在談，這樣年紀輕輕的，
這樣死法，太慘太可惜？
是在談，這皮開肉綻的身子，
也是媽媽的柔手撫育過來的？
是在談，他曾上過前線，這麼死
眞個太不值得？
是在談，那個姑娘眞可憐，
老爺三房四房，她想找個人都不讓？
是在談，法律是專爲窮人
定製的一條索子；殺人，作惡，犯罪，
勢力可以一手遮天……？
啊，人的喇嘛活動了。

愛與死

開始向四下裏傾倒——
啊，警察隊帶着鞭子來了。
一霎，人散了，死屍也不見了，
把一堆土撒在血上，
大門前掃個精光；
什麼都沒有發生過的一樣，
天是藍的，山發青，
只有點點黃土掩不住的血跡，
在早晨的太陽裏微微的發紅。

三十三年十月十三日

48

和馱馬一起上前線

一

陳海清，他有九口家：
老娘、妻子，一個雇工
加四匹馱馬。
天生一副好脾氣，
他親近別人，別人也喜歡他。
耿直得像一棵樹，
樸素得像一塊白粗布，
上帝當年創造他，

和馱子一起上前綫

一定是鏈打了又鏈打。
他沒有一石田，
他只有四匹馱馬，
他愛他的老母，
他愛他的妻子，
他也同樣愛他的馱馬。
最老的一匹比他的年紀還大，
它有一身紫紅毛，
取個名字：「老來嬌」，
第二匹：「一錠墨」，
第三匹：「飛毛腿」，
按附上生了一雙夜眼
管叫第四匹：「照夜白」。

60

陳海濤的太陽
出得特別早，
每天，他和長二
把驢馬趕出門，
東天角，血紅的日頭，
西天邊，清淡的月輪，
說不清誰準備去沈睡．
誰剛剛才起身。
傍晚上，殘霞收斂起
它的五彩光，星星一個兩個的
出現在天空，陳海濤也回到了自己的村莊，
鈴鐺召喚着芳鄰，
他跑到門外去，帶着一顆親切的心；

和歌馬一起上前綫

鑾鈴嗒哈嘩一步一步的近
黃昏也一步一步蒼茫，
騾馬也嚕嚕亂叫，叫聲裏
響着疲勞也帶着歡暢。
孩子迎接着爹爹。
黃昏裏，眼光碰一下眼光，
一陣響蹄子
把人馬一起帶進了庭院，
大門一關，人進了房，
馬喫了糟，黑暗泛濫了，。
一盞小燈，
照着人們的溫情和安祥
每天從遠方回來，勞碌

52

無例從爸爸手裏接受了一份小小的禮物，
小燈底下，聽爸爸講他的行程，
講他見過的花花世界
他的小心展開翅膀，
逐着話頭飛，飛得很遠，
對於這個孩子，耳朵裏聽來的
比口裏嚼着的更甜。
小燈在爸爸臉上生了光彩，
又彷彿帶三分驕傲：
「芳福，你的天地小得像一塊火鑪！」

一年四季，馬不停蹄，
石板路磨破了一雙雙鐵蹄子，

走過的路綫可以織一個
　蜘蛛網，陳海濤的脚掌上
生了幾寸厚的繭皮。
馱馬是他的患難朋友，
他同它們說話，關心它們的
寒暖和飯食，半夜三更服侍它們，
這份勞苦他一點也不推辭。
它們也愛他，替他盡忠心，
懂得他的爲人，他的勤苦，
也懂得他的歡喜和憤怒；
它們也向主人表示自己的感情：
用尾巴，用蹄子，用耳朵，用眼睛。
他和他的馱馬有一些共同的記憶：

六月天，那兒的大柳樹
給過他們風涼，在那地方的小茶棚
喝一個痛快，一桶冰涼水
把流了的汗珠
補上；
三九裏，那個野店的小茅屋
最溫暖，那座破廟
可以讓人避一避風寒。
也忘不了，春秋的好日子
那點生活的野趣，
他騎着馬，歌唱着，
把一個大月亮歌回家。
他雖然過得不太舒服，

可是，他從來沒有訴過苦。
比對另一些人，命運對他
並沒有過分的刻薄，
他緊把住生活的小圈子，
他也從沒忘記過那份感激。

二

一個月夜，場子上
聳動着許多人影，
有的大聲叫，有的小聲嚷，
有的眼睛瞪得像銅鈴，
一場子人亂轟轟，像被攪動了的
一窩蜂。

陳海清插上雙耳朵：
「唔，原來是蔣委員長
下了命令，徵調騾馬上前綫
去打日本兵。」

這個命令眞是靈：
有的把騾馬拉到山裏去，
嚴密的藏好它，
曾把「自私」深深的藏在心胸，
尋到別人的騾馬出了川，
他們都歸團，做他們的好買賣，
發他們的國難財，
有的人，激昂慷慨的發一篇大議論，

和獻馬一起上前綫

有三匹獻出拿一匹去應徵，
這樣的人頂聰明，
用小小的犧牲去換一個愛國的大名。
陳海濤，心下很不平，
像一塊火石，火鐮敲着了它的鋒稜，
他一句話也不說，
第二天一大早
進了鄉公所，
在一個本子上
寫上了「照夜白」，
寫上了「飛毛腿」，
寫上了他所有的獻馬，
寫上了他的長工，寫上了，

58

他自己——陳滿滿、
回頭來，把孩子送出去
當學徒，
把他插着一根小柱子
支持着這個家庭，
留下了一點小積畜養家，
他，和他的長工，他的歌唱，
一起投奔了兵營，
人，
編入了大隊之
路，
編入了大事，
從此，它們不再是他的私產，

從此，陳海清把自己
打進了一個大命運。

三

大洋船
載着人馬出川，
長江像男兒的志氣
滾滾的朝東奔竄，
滔天的白浪
歡送他們
去赴一個共同的國難！
馬蹄子蹬得船板叫苦，
它們一聲聲吟嘯，像要把

民主的海洋

全身的精力化一道道濤浪
向敵人衝去！
三峽的石門
一開，
天地擴大了
陳海清的胸懷，
他深深的吐了一口氣，
像從長年的禁閉裏
解放了出來。
千山萬水把他送到
長沙，
時光把流年
也翻新了一下，

剛來的時節
桂花正飄香，
于今，到處山上開滿了紅花。
他們騎兵隊在一個小村莊上駐紮，
馬號裏，一條一條橫樑
緊緊的拴着一大羣馬，
起先，互相仇視，瞪着眼
亂叫，亂咬，亂踢打，日子久了，
大家熟習了，交頭接耳，
彼此說着親熱的話，
陳海濤，常常半夜裏醒來，
側起耳朵，聽聽他的戰馬
是不是在叫他？披上衣服，

民主的海洋

走出來，星星給他點亮，
他走到馬號裏看一眼，
把他的馱馬挨個摸一把。
閒空裏，樹底下和長工擺一擺「龍門陣，」
把幾個銅鈴鐺
拿出來搖一搖，
（怕洩露了實情才把它摘下）
他又聽到了家鄉的聲音，
代盤算着，打走了鬼子，回老家，
把鈴鐺朝馬頸上一掛，
哈嚕哈嚕趕起老買賣。
那時候，他有更好的故事，
把方臉那小鬼拴在燈底下……

四

師長大檢閱——
戰爭有了消息。
步兵
站在步兵的崗位上，
砲兵
站在砲兵的崗位上，
運輸連，
也有他們的一塊地方。
人，
樹一樣的挺立着，
砲，

火山口一樣沈默着，
馬子，
精神抖擻着。
一聲軍號，
像秋天樹葉子
打上霜，死絕了聲息，
只看見發裂的眼光
注射在一個人的臉上，
蠢蠢的皮靴聲，他覺得師長
走近了他，在馬鞍上溜眼睛，
這眼睛碰到了「一錠墨」，
陳海清，他的心要亂撲通！
戰爭起來了，

和獸馬一起上前綫

一趟頭就很緊。
人為不分晝夜的調動，
槍炮不分個的響，
敵人的飛機
穿梭在天空。
以前還多的空閒日子，
今天怕追來「找上」，
陳海清的馱馬
裝滿大炮彈，
隨着大隊，來來往往
奔走在前線。
白天，人頭上，馬背上，
偽裝着柳條，

人身上，馬身上，
　大汗像瓢澆。
黑夜裏，天地像上過多少道漆，
百多匹騾
走在一條小徑上，
左手，千尺急踏，
右手，萬伏無底，
前邊，撲通一聲，馬失了蹄，
好久好久。一個沉重的響聲
才從深溝底下浮起！
陳海濤，不出聲音，也不敢想，
他以他整個的心叮囑他的默想：
「畜生，千萬要小心！」

和馱馬一起上前綫

空船架子走着團團旋，
炮彈通的一聲出了膛，
劃一道光，轟隆一下子
爆炸在敵人的陣地上，
眼裏看着他心下很得意：
「這顆炮彈
也許就是我剛才卸下來的。」
有一天，馱馬隊卸下炮彈
走在光瑩瑩的曠野裏，
三架飛機在頭頂上打旋，
它們站住
長成一行樹。
飛機像生了眼

身子栽下來，
向上一翻，通通通，
看不見了馱馬，
只看見塵煙。
飛機從天空飛走，
陳海清從地下爬起來
拍掉一身土，想去追他馱馬，
不用追，有兩匹，
身子壓着身子，就離他不遠，
紅肉綻開，鮮血流了一大攤。
他埋了他的馱馬，
連眼淚和眼
一起埋在土底下，

和獸馬一起上前線

上面插兩條木牌，
木牌上寫兩行字：
「四明陳海濤的騾馬，
飛毛腿，跟夜白。」

回頭來，他「犯了性」，
不說話，趕着「一錠墨，」「老米嬌，」
趕得更起勁，
要叫活着的雙份努力
去挑起死了的責任。
這天夜裏，他忽然想起了家，
第二天請人寫了個家信，
信上寥寥幾個字：

70

「我很好，
駛馬也結實。」

五

敵人被打退了，
把勝利獻給這一個人，
郵差忙着探電報：
還是高興打來的，為了這個大勝仗
傳下了「嘉獎」令，
都是什麼團體打來的，
表示慰勞和尊敬，
電報，一封一封落雪片，
錦旗也一個又一個

趕到了前線。
在慰勞大會上，
站下了檢閱時候的陣容，
陳海清站在他馱馬的一旁，
聽着客人誇師長，誇這一師人，
慰勞品也送到了他手裏一份，
不知爲什麼，他滴下了兩顆大眼淚，

六

他牽着他的「老來嬌」，「一錠墨」，
隨着大軍，三個年頭，
走了三個省分。
他參加過保衞大長沙，

民主的海洋

也曾經在龍江裏飲過他的馱馬，
他無法計算清，從他的馬背上
卸下來的大炮彈，打死多少日本兵，
他眼看他的「老來嬌」
又在敵人的迫擊炮底下
丟了性命。
他很少接到家信，信越少，
也就越珍重。
有一封是芳涵寫的，他寫着：
「家裏一切都很安好，
爸爸在前線放寬心。」
有兩件事他沒寫在紙上：

和馱馬一起上前綫

老祖母死了，家裏很窮困。
陳海清只剩一匹馱馬。
他把四匹馬的愛
一起交給它，
他常常摸着它的黑緞毛
用眼睛和它說話，
它也向主人瞪一瞪眼睛。
他越愛它，越關切它。
越關切它，越害怕，
怕呀怕，病魔
趨看中了它，
起三更，醒半夜，
喂它草料，給它灌藥，

一條心吊了起來，
他像愛獨子一樣的愛它。
最後，他害怕的
活現了，
他心愛的
死去了，
陳海清，他的四匹騾馬
全獻給了國家，
剩了一條窮身子，
他的胆子變得更大！
他和他的長工
告別了獸醫隊，當了戰鬥兵。
現在，他沒有了家，

也沒有了獸馬，
只有一條槍，
他日夜抱着它，摩擦它，
一天夜裏，他做了一個夢：
在戰場上，他打了四個敵人，
最後敵人也打死了他，
忽然芳福來到他身邊，
眼淚灑罷，從他手裏拿起槍來
接着他的脚步，嘶喊着，
向敵人衝殺…………，
醒過來，天剛剛放亮
眼前的影子還完整，早號吹得那麼響！

卅三年五月廿日寫起廿一日下午完成於渝歌樂山中。

寶貝兒

臧克家 著

萬葉書店（上海）一九四六年五月初版。原書三十六開。

萬葉文藝新輯
寶貝兒
臧克家著

萬葉文藝新輯

寶貝兒

臧克家著

上海萬葉書店刊行

編者獻辭

我主編這些刊物，並沒有什麼大的企圖，深的意義，以及過甚的欲求和願望，祇是基於一種無能抑止的情緒，想替作者奠定一個新的基地，替書店企劃一條新的路線，替讀者齊集一些新的讀物，替新中國栽植一些新的花木罷了。

如果這件小小的工作能夠如分地完成的話，我就心滿意足了。

刺向黑暗的「黑心」(代序)

這一年來，諷刺詩多起來了，這不是由於詩人們的忽然高興，而是碰眼觸心的「事實」太多，把詩人「刺」起來了。

詩人們並不是不想歌頌光明，而是，看不到一點光明——光明像流水就下一樣，都積匯到另一些地方去了。

詩人們並不是專瞅黑暗，而是，所聽到，看到，接觸到的，全是漆黑一團。既成爲一團，也就很難個別列舉，因爲，祇有用「一團」兩個字纔可以概括。

詩人們跳起來了。瞪著大眼睛，心也砰砰的亂跳。把他們的筆尖向著一個又一個黑暗的「黑心」刺去。通的一聲，擊中了。

黑暗的原形暴露在千萬人的面前了，詩人們對它憎恨的情感，也藉了有力的詩句傳染了大衆。大衆原先看不清楚的，現在是清清楚楚的了；大衆原就是恨的，現在是更恨了。

恨，鑄成力，力，向著黑暗的牆壁推去，推，推，推，推倒它！

我想，在今天，不會再有詩人怕「政治」沾汚了他的詩句罷。我覺得，在今天，不但要求詩要帶政治諷刺性，還要進一步要求政治諷刺詩。因爲，在光明與黑暗交界的當口，光明越見光明，而黑暗也就越顯得黑暗。這不就是說，在今天，環境已爲政治諷刺詩布置好了再好不過的產牀了嗎？——黃金呵，爛布呵，拉夫呵，貪汚呵，槍殺學生呵，太多了，太多了，太多了。這些「醜」得令人不堪入目的事件，可以造成詩人最「美」的詩句；這些「臭」得令人掩鼻的事件，可以造成詩人最「香」的詩句；不要愁這些事件已成過去；現在的，比從前更新鮮，更驚人，因爲產生這一些的有一個健在的「母親！」祇要你耳不聾，或不裝聾；祇要你眼不瞎，或不裝瞎；祇要你心不死，或不裝死，總不愁這些已死的，現存的，新生的，死而復活的事件，不來碰你，刺你，鼓動你起來。

諷刺不是要聰明，也不是說漂亮話。看的眞，感得切，恨得透，堅決，尖銳，厲害，這樣情形下產生的詩，纔有力。力，從詩人傳給詩，從詩傳給羣衆。

詩人如果單純是詩人，他一定不會寫出這樣的詩罷？詩人關心政治，不够；詩人就是政治上鬭爭的一員的話，那情形就不同了。

政治諷刺詩爲什麼會成爲空洞的觀念和口號呢？因爲：寫政治諷刺詩的人，還不够政治化，換個說法，還沒有把眞情交給政治事件，立在一旁的人，不但看不淸事件的中心，他的感情也溶化不了這事件的。

詩不產於觀念而產於情感。

政治事件不是詩，通過這事件表現出來的詩人的情感，思想，纔是詩。當這事件變成詩以後，它已經不是它的原形，簡直可以說是：詩人心中的政治事件了。這樣，你可以不必怕觀念化，口號化的危險，這一些，當詩人以豐盛的熱情賦給它們時，它們便成了生命力充沛的生命體了。這樣，你可以不必怕政治事件過眼即逝的「暫時性，」因爲，當詩人以生命給予它們時，它們便永遠不死的了。別德內衣筆下的托羅斯基，杜甫筆下的石壕吏，是永遠使人憎恨的。

當眼前沒有光明可以歌頌時，把火一樣的詩句投向包圍了我們的黑暗叫它燃燒去罷！

目次

勝利風

1

彈一彈帽子，
彈去了戰爭的塵土，
照著八年前的老樣子
把它戴上去。

2

放下屠刀，
立地成官，
換一換帽花，

換一換旗子，
這很簡單，很簡單。

3
當年，
「你」向東，
「我」向西，
繞來繞去，
「我們」又在勝利的大路上
會了齊。

4
我提議：
把流亡在美國的那幾萬萬兩黃金

—2—

鑄勝利九鼎，
鼎面上，反反覆覆刻上三個字：
老百姓，老百姓，老百姓，……
因爲，他們纔眞是勞苦功高，
卻不自居英雄。

5

這裏忙著：
論功，行賞，
分封，列土；
人才，在無緣的角落裏，
開敞著滿肚皮的抱負。

6

同事，同學，同鄉，
斷了八年的關係，
忙著重新接上，
這是一場很好的交易，
各取所需，皆大歡喜。

7

論親戚，拉交情，攀因緣，
你說這是老作風，
我說：
革命也不妨雜一點封建！

8

政治犯在獄裏，

—4—

自由在枷鎖裏，
難民在街頭上，
飄飄搖搖的大減價旗子，
飄飄搖搖的工商業，
這一些這一些點綴著勝利。

9

自由呵，
是指著肚皮給孩子起的一個小名。

10

我生活在祖國裏，
恐怖日夜向我追蹤，
我生活在祖國裏，

卻像旅行在一個陌生的地方，
失掉了通行證。

三十四年九月

人民是什麽

人民是什麽？
人民是面旗子嗎？
用到，把它高舉著，
用不到了，便把它捲起來。

人民是什麽？
人民是一頂破氈帽嗎？
需要了，把它頂在頭頂上，
不需要的時候，又把它踏在脚底下。

人民是什麼?
人民是木偶嗎?
你挑著它,牽著它,
叫它動它纔動,叫它說話它纔說話。

人民是什麼?
人民是一個抽象的名詞嗎?
拿它做裝璜「宣言」「文告」的字眼,
拿它做攻擊敵人的矛和維護自己的盾牌。

人民是什麼?人民是什麼?

這用不到我來告訴，
他們自己在用行動
作著回答。

「重慶人」

接收人員
還沒到的時候，
人民
祈禱著，盼望著他們。
接收人員
剛到的時候，
人民
歡迎著，崇愛著他們。

— 10 —

接收人員
呆久了些時候，
人民
用最刻薄的話
駡他們，
用白眼珠子
看他們，
上給他們一個尊號：
「重慶人。」

消息

一聽到最後勝利的消息，
故鄉，頓然離我遙遠了。

問答

「日本鬼子不是已經投降了嗎？
爲什麼聽說還在打？」
一個莊稼老頭子
想從我這裏得到回答。

「不是打日本了，
自家打自家！」

「八年還沒打够嗎？

這是爲什麼?」

「爲什麼?他們說,

爲你們!」

「爲我們!爲我們?」

他臉上起了一片雲。

冬

在戰爭裏，
八個年頭的風雪日子
都在流亡中磨過去了，
今年，勝利後的第一個冬天，
夜最長，也最寒冷。

勝利把他們留住了

天天望著飛機
在天上飛，
天天聽到
長途汽車的喇叭
和輪船啓碇的鳴叫，
沒有辦法的「眞牌」難民㊀
卻被勝利留在山南海北了。

㊀腰纏百萬人，可以憑「難民證」買票上車上船，而眞正難民卻被困難留住了。

一天的見聞

今天，我去看一位心理學家，
他告訴我，昨天有人帶了一個女瘋子來看他，
人年青，學識很高，心也正直，
然而她瘋了，日夜恐怕著有人用「腦電波」在控制她。

回頭經過大街，碰到一位年青的朋友，
恩恩的拉到一邊，告訴我，他明天就要離開，
想說理由，神色倉皇的望了望過往的人，
又住了口。

回到家裏，桌子上有一封信，
打開一看，一塊破草紙上草草的劃著十九個大字：
請趕快給我另進行工作，
自己也不知道爲什麼，在這裏，我又有了「問題。」

槍筒子還在發燒

掩起耳朵來，
不聽你們大睁著眼睛說的瞎話，
癩貓屙了泡屎，
總是用土蓋一下。

苦苦打了八年，
剛剛纔打出了一個希望，
彷彿怕這希望生長，
當頭就給它一棒！

大破壞，還嫌破壞得不够澈底？
大離散，還嫌離散得不够慘？
槍筒子還在發燒，
你們又接上了火！
和平，幸福，希望，
什麽都完整，
人人不要它，它卻來了——
內戰！

三十四年十二月

星星

1

「偉大！偉大！」
說順了嘴
再也不覺得肉麻，
「偉大！偉大！」
聽慣了，
彷彿它就是你自家，
偉大？什麼！
不過是把人性

調換了一副鐵甲。

2

神祕，殘忍，吹捧，
這三合土，
在常人心坎上
塑成功「英雄」。

3

你覺得，
自己崇高得不得了，
請站在喜馬拉雅山腳下
向上一擡頭，
請站在大洋的邊岸上

向遠處一放眼，
請站在羣衆的隊伍裏去
比一比高。

4

我愛一顆小草，
我愛一顆小星，
我愛孩子的眼，
我愛一縷吹煙
纏起微風。

5

苦難是滋養人的，
把詛咒吞下去，

讓它化成力！
不要想像著自己的孤獨，悲憤，
在茫茫的人海裏，
心在尋找著心。

6

你會覺得心的太陽
到處向你照耀，
當你以自己的心
去溫暖別人。

7

你問我生命的意義，
我說，它的意義

— 24 —

就在於它們永遠不滿足。

8

渴望著家，
到了家，
卻永遠失掉了家。

9

回憶，
是彩虹，是深淵，是墓場，
它黏貼著我，
像一件濕的衣裳。

三十四年三月

裁員

站在高枝上的，忽然想起，
要「增加行政效率」，
要「節省國庫開支」，
輕輕的嘘了一口氣，
裁員的風暴霎時間漫天吹起！
命運在點卯，
人人爲了半碗喫不飽的飯
憂慮，心焦！
裁員，這名詞多莊嚴！

它給長官一個好藉口
裁去異己；
給狡猾者一個好機會，
叫他帶著滿包遣散費，
換一個機關去「等因奉此」
裁員對於多數老實人
總是一把刀，
裁斷了他們的生活，
裁去了父母子女一家老小！
爲了資歷，學識，品格，能力
牢騷不平，有什麽用？

誰叫你不另換一些條件：
後臺人事，尖頭卑躬……
被裁了，就是被裁了，
沒辦法，就是沒辦法，
不見有人伸過手來，
祇聽見有人說風涼話：
什麼「不要以官為業，
要向社會事業上去求發達，」
不是瞎眼的就可以看見：
工廠在倒閉，公司在關門。
沒有一條路不塞得死死的，
沒有一條路子上不擠著過多的人。

裁員，
應該先從他們開刀：
多少人沒有衣裳穿，
他們把好布爛了三萬萬圓；
裁員，
應該先從他們開刀；
四十天
丢了三十個城，
沒受罰，反而升了官；
裁員，
應該先從他們開刀：

人民把血肉供給了抗戰，
他們卻叫幾萬萬黃金凍結在大洋的那一邊；
裁員，
應該先從他們開刀：
瀆職，貪汚，假公營私，
忘了公僕的身份，
無法無天，自大自尊，
踏在民衆——主人的頭上
把自己升成偉人。
裁掉這些枯朽的老幹，
裁掉他們，一點也不寃！
裁掉他們，他們不僅是「冗員，」

而是在作著，勇敢的作著，
作著神聖的事業一樣
在製造罪惡卑汚的事件！
裁了，還太便宜了他們，
（有良心的話，
他們早就應該「自裁」以謝天下！）
他們還可以帶著罪孽，
帶著罪孽錢和罪孽種子
去給自己另尋一塊淫地。
把他們住過的房子打掃乾淨，
灑上消毒藥水，別忘了開窗子，
把當門的土地挖它三尺深，

看看地底下可埋藏著什麼東西……

三十三年三月

一個大汚池

——感高秉坊判死刑

讀著高秉坊的判決書，
我看到了一位黑衣鐵面的法官
宣讀它的時候，
那慷慨，那正氣，那尊嚴，那快意！
我也聽到了，從肅靜的旁聽席上
迸裂出來的那一陣掌聲和歡呼！
它像一篇最諷刺的政治諷刺詩，
刺著無數人，也刺著法律它自己。

我的眼睛也被刺出淚來了；
法律，法律，法律，
你終於在這樣一個不大不小的人物臉前
第一次直立起莊嚴的身子！

高秉坊，纔幾天，
還是財政界最「紅」的明星，
爲他的部下所仰望，
爲他的上司所恩寵；
高秉坊，纔幾天，
還是最「能幹」的理財家，
這一點，在今天，

他用重價請來的那位名律師，
也沒忘記把它引進
他那洋洋灑灑的辯護名篇。

死刑，對高秉坊
是一個意外，
難怪一聽到這個判詞
就站立不起來，
他太尊重了一個習慣的觀念：
法律從來不和「官家」爲難。

法律的網，

捕獲了一個高秉坊，
可是，向高處望一個又一個
坐在高座上，
有的佩著耀眼的金星，
有的佩著一大串勳章，
他們都是淸廉，刻苦，正直，高尙，
他們一個個勞苦功高，爲國爲民
法律對於這些偉人，你祇有仰望，
因爲他們比你站得更高，更尊嚴，更有力量！

當官場
還是一個大汚池，

跳下去的，別再想一條清潔的身子！
一個人的血
洗不清罪惡和貪汚，
法律在今天，和人民一起
在深深的受著屈辱……

三十四年七月

寶貝兒

對於炫人眼目的那些什麽告什麽書，
我沒有話講，祇有佩服，
典故用得眞多，文句雕得也眞有工夫，
它美麗，美麗得像一朵紙花，
它圓通，博大，
像一件出租的禮服。

還有那些調調兒，
一張口就是，

—38—

不論何時，也不論何地，
祇須把機頭一上，
就開了心的戲匣子。

好話說三遍狗也嫌氣，
畫的餅兒充不了饑，
今天，什麼也不要看了，
今天，什麼也不要聽了，
快快的，快快的，把它請出來，把它請出來——
千萬人呼喚了千萬遍的
那個「事實」的寶貝兒。

三十四年二月

朋友和信

天天盼到一批信，
從一個一個的封筒裏，
拆出來一個一個的大苦悶！
我的苦悶
也擡起頭來，
展開信紙，對著它——
苦臉子
對著苦臉子。

— 40 —

常常有朋友來，
拿消息做見面禮，
拳頭
敲得桌子暴跳，
聲音
要把牆壁衝倒，
怒氣的暴雨
落過了一陣，
突然，伸一伸舌頭，
眼，
向四下裏
掃一圈。

三十三年五月

一個黃昏

一個黃昏落著雨，
有個人，推開大門，
用哀號的刀子
割我的心。
「先生，你不要關門，
我是傷兵，不是壞人！
看我祇剩了一隻胳膀，
那一隻丟在戰場上，
千山萬水沒死在路旁，

想不到，唉，奔到了後方……」
抖擻著一張紙叫我看，
他說這是證明書：
「叫我拿著它去領獎，
可是，我上不去汽車，
人們嫌我太髒……」

我用不到去看什麼證明書，
他的聲音，眼淚和血腥
比什麼證明都可靠，清楚。

我叫他去尋一個機關，
他搖搖頭，說是去過，
人家忙著在辦公，一勁支吾。

我把一件軍裝袴子給了他，
急忙收了眼淚把它穿上，
「呵，先生，您救了我一命，
這樣，可以有地方留我一晚上。」

他走了，雨腳追著他，
我的眼一夜沒關煞。
第二天打開報紙，

一眼就碰上了慰勞傷兵的消息，
文字眞切動人，那麽大的標題！

三十二年

側起耳朵，瞪著眼睛

敵人，從幾千里以外
奔突而來，
大山阻不住它，大水阻不住它，
奔突而來簡直沒碰上一點障礙！
名城，一個一個被拔掉，
像拔掉朽爛的牙齒，
土地，一天丟一百里，
比黑死病的傳染更快，
日月從淪亡的河山上

移走了光圈，
把人民撇在黑暗裏——
一個地獄世界。
近了，敵人走在消息的前面，
近了，戰事令最樂觀的人
也不能再安穩的睡覺。
如是山城，這個臭水缸
被攪動了，
從櫃臺，從課堂，從工廠，
從辦公室，從高高的寶座上，
一齊被擲下來
茫然又驚惶！

他們，失掉了偶像，
也失掉了信心，
（因爲以前他們太容易相信！）
讓自己在事實面前發抖，
在消息叢裏迷亂，
在謠言的海裏浮沈。
人人依戀他可憐的現狀，
平日抱怨它，
今天，卻有一種要永別的悲傷，
人人在計劃著一個渺茫的未來，
未來，它的名字就叫「不堪設想！」
人人要脫開這個生活的殼子，

不，是它不容人再在裏邊躲藏。
就這樣，一看就叫人心碎的難民，
也許就是自己的前身，
就這樣夜裏的惡夢
也許會成爲事實的影子，
就這樣，過一天算十二小時。
號外的好消息
鎮不住人心，
空頭支票
當不了現金，
人人在瞪著眼睛看——
看民衆，

（是時候了，讓他們起來罷！）
看軍隊，
（讓他們喫飽穿暖，明白爲什麽，爲誰在打！）
看敵人。
（不讓它，隨意來，高興了又退回！）
人人在側起耳朵聽——
聽外交的動向，
聽團結的消息，
聽民主潮流的升漲。
「新生，或是死亡，」
時機站在眼前
立逼一個答案！

三十三年十二月敵人竄抵貴州，——重慶震動。

破草棚

這一間民主的破草棚,
擋不得雨,也遮不了風,
幾十年了,破爛不堪,
在那裏支持著一個虛名。
自從摘掉了「大淸皇帝」的招牌,
就把江山指給人民:
「呵,換了中華民國,
你們變成了國家的主人。」
在「民國」莊嚴的名義下,

最得意的是軍閥，
打著「弔民伐罪」的大旗，
彼此進行著獸性的屠殺，
一條血綫
貫穿了幾十年的史頁，
紙面上留下了一個個大名，
舊的還沒死，新的爭著又來頂，
從每一個名字上
我都嗅到了血腥。
老百姓，眞正的主人，
卻躺在地上挨打，
挨了打還不敢說痛，

他們的人從不被看重，
然而，每一次屠殺
都假借著他們的名；
他們的人從不被看重，
可是，在籌糧籌款的時候，
他們又成了國家的主人翁。
他們活著，犧牲是義務，
痛苦是權利，
剝削他們，還說爲了他們，
在自由的天地裏
到處找不到自由的影子。
老百姓，看著一雙十字架

替軍閥，替財閥，替地主，替資本家，
直下到地獄十八層——爲了什麼？什麼什麼代價？
時光決不空過自家，
它不掩蓋罪惡，也不把眞理掩藏，
到時候，它把什麼都按著它們的原樣
暴露在太陽底下，
今天，全世界的潮流
都流向一個方向，
民主的海洋，
它有一個大的容量。
——中國的老百姓，從破爛的草棚裏
走出來，站在戰鬪的崗位上，

把國家扶起來，用自己的力量
把自己像個「人」的莊嚴的站在世界上
被人假借了多年的名義，
已經到了期限，
你們要收回來——
連上那屈辱，忍耐，和卑賤的身體，
他們的心就是「天，」
看那個敢在它上面碰一下！

三十三年九月

中華民國三十五年五月十日印刷
中華民國三十五年五月廿日初版

萬葉文藝新輯

寶貝兒

（詩集）

著作者　臧克家
主編者　索非
發行者　錢君匋
印刷者　萬葉書店

總發行所

萬葉書店

上海天潼路寶慶里三九號